Bianca Nieves y los 7 to...

Cover Art by
Irene Jimenez Casasnovas

Chapter Art by
Christianna Meggert

by
Carrie Toth

Edited by
Carol Gaab

Copyright © 2015 Fluency Matters
All rights reserved.

IBSN: 978-1-940408-28-6

Fluency Matters, P.O. Box 11624, Chandler, AZ 85248

info@FluencyMatters.com • FluencyMatters.com

A NOTE TO THE READER

This fictitious Comprehension-based™ reader is based on 150 high-frequency words in Spanish. It contains a *manageable* amount of vocabulary and numerous cognates (words that are similar in two languages), making it an ideal read for beginning language students.

Essential vocabulary is listed in the glossary at the back of the book. Keep in mind that many words are listed in the glossary more than once, as most appear throughout the book in various forms and tenses. (Ex.: I go, he goes, let's go, etc.) Vocabulary that would be considered beyond a 'novice' level is footnoted within the text, and their meanings given at the bottom of the page where each occurs.

The opinions and events in this story do not reflect or represent the opinions or beliefs of Fluency Matters. This reader is intended for educational entertainment only. We hope you enjoy reading your way to FLUENCY!

Índice

Capítulo 1
Un torito especial

– ¡Los toros están llegando!– le gritó Bianca a su padre–. Veo el tráiler.

Bianca corrió hacia el establo y observó a los hombres. Tenían siete toros nuevos para el rancho. Los toros eran pequeños, muy pequeños. A ella le gustaban los toros, especialmente le gustaban los toritos. Y en el tráiler había siete nuevos toros. ¡Fantástico!

– ¡Bianca! –gritó Marcos, el establero–. ¿Ves a los toritos?

– ¡Sí, Marcos, son adorables!

— Hay siete toritos –le dijo Marcos con entusiasmo.

Marcos tenía 16 años y cuidaba a los toros en un rancho enorme. Vivía en el rancho de Julián Nieves Domin-
guín, el torero más importante y famoso de la historia
de España. El rancho estaba situado a una hora de Madrid, España. Marcos cuidaba a los toros del famoso torero y le gustaba mucho cuidarlos.

Marcos quería ser un torero. Quería ser un torero
como 'El Julí', el nombre profesional de Julián Nieves.
¡En España, los toreros son más famosos que los actores!
y Marcos quería ser un torero famoso. Admiraba a todos
los toreros, pero admiraba más a 'El Julí'… y a su talentosa hija, Bianca.

Bianca tenía 13 años y cuidaba de los toros con Marcos, pero solo cuidaba de los toros pequeños. La responsabilidad de Bianca era cuidar de los toritos cuando
llegaban al rancho. Bianca estaba contenta porque en
ese momento, llegaron siete toritos. A ella le gustaba
cuidar de los toritos. Le gustaba cuidarlos con Marcos.

— Marcos, mira este torito. ¡Qué inteligente! Es
mi favorito.

— Es un toro raro, Bianca –le comentó Marcos–.
No es normal. Es un toro pero actúa más
como una persona.

– ¿Cómo una persona?

– Bianca, obsérvalo. Me imita –le dijo Marcos.

Marcos caminó y el torito caminó también. Marcos corrió y el torito corrió también. Marcos se sentó y el torito se sentó también. ¡El torito imitaba todo!

– Jooooo– dijo Bianca– Es un toro inteligente. Imita todos tus movimientos. ¡Excelente!

Bianca caminó hacia el torito y le tocó la cabeza. Entonces, le dijo al torito:

– Eres un toro inteligente. Un toro inteligente necesita un nombre perfecto.

Bianca miró a Marcos y le dijo:

– Marcos, ¿Te gusta el nombre Ferdinando?

– ¡Sí, es un nombre excelente!

A Bianca le gustaba el nombre Ferdinando porque había sido[1] el nombre del toro domesticado de su madre. El toro ya estaba muerto… y su madre también. La muerte de su madre fue una tragedia total. Bianca solo tenía seis años cuando ocurrió el horrible accidente. Bianca quería recordar a su madre, quería honrarla.

> – Voy a llamar al torito 'Ferdinando' en honor a mi madre –le dijo Bianca a Marcos.
>
> – ¡Perfecto! –le respondió Marcos–. ¡Es un nombre excelente!

[1]había sido – it had been

Bianca miró a Marcos contenta. Ella caminó hacia Marcos y el torito caminó hacia Marcos también. Bianca corrió y el torito corrió. Bianca se sentó y el torito se sentó. Ferdinando imitaba a Bianca y Bianca estaba impresionada.

– ¡El torito me copia también, Marcos! ¡Es muy inteligente! Ferdinando es más inteligente que Albert Einstein. Jijiji.

– ¡¿Más inteligente que Albert Einstein?! –le respondió su padre al entrar al establo.

– Sí, Papá, este torito es increíble. Es un toro, pero actúa más como una persona. ¡Mira!

Bianca corrió y el torito corrió. Bianca se sentó y el torito se sentó.

– ¡Jooooo! –exclamó su padre impresionado–. El toro es muy inteligente, pero hay un problema. Necesitamos toros bravos en el rancho, no toros domesticados.

– Pero mamá tenía un toro domesticado... –le respondió Bianca con voz triste.

Su padre la miró con compasión y le dijo:

– Ay, Bianca...

– No hay problema, papá, –le respondió Bianca–. Voy a cuidarlo bien. Voy a llamarlo Ferdinando en honor de mamá. Va a ser un toro excelente.

Bianca y Marcos pasaron el resto del día con Ferdinando y los otros toritos en el establo. Seleccionaron los nombres de los otros toros: Sábado, Lucífero, Plácido, Islero, Descabezado, Fiel...y Ferdinando. Bianca y Marcos pasaron el día cuidando de los toritos, pero en particular, cuidando a Ferdinando, su torito favorito.

Capítulo 2
Un experto en toros

Pasaron cuatro años y Ferdinando y los otros toros ya estaban muy grandes. Cuando llegaron al rancho eran pequeños, pero ahora eran enormes. Bianca y Marcos los cuidaban bien y los querían mucho. En particular, querían a Ferdinando, el toro inteligente.

Normalmente no tenían problemas con los toros, pero en ese momento tuvieron un problema muy serio: Había un problema con el toro más grande, Sábado.

– Bianca, –la llamó Marcos con pánico–, busca a tu padre. ¡Sábado se escapó!

Bianca buscó a su padre frenéticamente. Lo buscó por todo el rancho y por toda la casa. El rancho era enorme pero lo buscó por todas partes. Normalmente estaba en su oficina pero no lo vio. Cuando lo buscó en el patio, lo vio con una mujer atractiva. Se llamaba Salomé Cuervo Real. Era empleada de su padre, era su secretaria financiera.

Ella flirteaba con su padre, sonriendo y tocándole la mano románticamente. Entonces le dijo con un tono serio:

– Julián, el rancho tiene problemas financieros. Con los empleados, los animales y el rancho,

necesitas participar en un mínimo de 50 corridas de toros al año para tener todo el dinero necesario.

Bianca vio que su padre la miraba con admiración y le sonreía. ¿Por qué la miraba tan románticamente?

– Salomé –dijo Julián–, participaría en 100 corridas de toros para salvar el rancho. El rancho es la casa de Bianca y le gusta cuidar de los toros. Cuidar de los toros es muy importante para ella.

– Tu hija tiene 17 años, Julián. ¿Por qué pasa todo el tiempo con los toros? Ella necesita amigas.

Salomé le tocó la cabeza a su padre y Bianca la observaba. ¿Por qué la secretaria financiera le tocaba la cabeza a su padre? Decidió interrumpir la conversación.

– Papá, uno de los toros escapó del corral. Marcos lo está buscando pero te necesita. Es Sábado, el toro más grande, y Marcos necesita ayuda.

Cuando el padre de Bianca se levantó para irse, Salomé no estaba contenta. Ella también se levantó y le dijo:

– Pero Julián, necesitamos planear los costos del

rancho. ¿No puedes buscar al toro más tarde?

– No, Salomé –le respondió preocupado–. Sábado es enorme. Es un toro muy agresivo y es importante capturarlo inmediatamente.

Bianca sonrió cuando su padre se levantó rápidamente para buscar al toro. Era obvio que Salomé no estaba nada contenta y cuando Bianca se fue con su padre, la escuchó decir: « *¿Cómo se escapó el toro cuando la fenomenal Bianca estaba cuidándolo? ¡Que inepta!*».

Capítulo 3
¿Buenas o malas intenciones?

– ¡Bianca!– le
gritó su padre–.
¡Tenemos que
irnos! ¡Vámo-
nos!

– Busco mi chal[1]
y mi abanico[2].

– No los necesi-
tas. ¡Vámonos!

– Pero papá, ¡es
tradición! Todas
las mujeres
finas usan un
chal y un aba-
nico en la corrida.

Para Bianca era importante tener su chal y su abanico. Su padre era un torero famoso y era importante
representarlo bien. Quería impresionar a todos los aficionados y a los fotógrafos que estuvieran observán–

[1]chal - shawl, shoulder wrap
[2]abanico - (handheld) fan

dola en la corrida. Necesitaba su chal y su abanico para ser una mujer elegante.

– ¡Bianca! –le gritó su padre impaciente–. ¡Vámonos!

– Pero papá, necesito mi chal y mi abanico, estaban en el sofá pero ya no están.

Bianca buscó otra vez por toda la casa. Buscó rápidamente porque su padre ya estaba impaciente. Su padre era el torero principal de la corrida y estaba estresado porque tenía que llegar a tiempo.

– ¡Bianca! Me voy a ir ahorita.

Bianca corrió hacia el sofá para buscar su chal y su abanico otra vez. Cuando llegó al sofá se confundió al ver a Salomé: Ella estaba sentada en el sofá con su chal y su abanico en la mano. Salomé le sonrió a Bianca y le preguntó:

12

– ¿Qué buscas?

– Busco mi chal y mi abanico – le dijo Bianca a la secretaria.

Salomé no le respondió, solo sonrió otra vez y le preguntó:

– ¿Buscas tu chal y tu abanico? Los vi en el sofá y aquí los tengo –Salomé gritó–. Está bien, Julián, el chal y el abanico estaban en el sofá, ahora los tiene y por fin nos podemos ir.

¡¿Qué?! Bianca estaba furiosa. ¡Los buscó bien! ¡Los buscó muy bien! ¿Por qué Salomé tenía el chal y el abanico? ¿Ella QUERÍA causarle problemas? ¿Ella quería causarle problemas con su padre?

– ¡Por fin! –dijo su padre cuando vio a Salomé con Bianca. Él miró a Bianca enojado–. Vamos a llegar tarde, Bianca.

– Pero papá….

– ¡Bianca! Ya tienes tu chal y tu abanico. Vete al carro –le dijo su padre irritado y entonces sonrió a Salomé y le dijo–, Gracias, Salomé.

Bianca estaba enojada. Salomé le robó el chal y el abanico. *«¡Increíble!»* pensó Bianca. *«Salomé me robó mi chal y mi abanico y ¡¿mi padre le dice 'gracias'?!»*.

Salomé miraba a su padre y le tocó el brazo. A Bianca no le gustó. No le gustó la situación para nada. Bianca no quería que Salomé fuera a la corrida, pero era obvio que ella iba a ir también.

> – ¿Salomé va a la corrida con nosotros, papá?
> –le preguntó Bianca irritada.

Salomé sonrió otra vez con una expresión de satisfacción y le respondió:

> – Sí, tu padre me invitó. Soy su invitada especial.

Su padre la miró irritado y le dijo:

– Salomé es mi invitada especial. Va a la corrida con nosotros. Ella tiene interés en la corrida.

Julián le tocó el brazo de Salomé románticamente y
se fueron hacia el carro. Agitada, Bianca los miró un
momento y caminó hacia el carro pensando: *«Un día
Salomé es su secretaria financiera y al otro día es su secretaria de romance. ¡Uy!»*. Bianca no estaba nada contenta.

Capítulo 4
¿Quién es la inocente?

Bianca entró en la oficina de su padre y vio a Salomé. Salomé tenía unos papeles en las manos. ¿Eran los documentos financieros de su papá? Ella vio a Bianca y la miró con una expresión de sorpresa.

– ¿Qué quieres? –ella le preguntó enojada.

– Los toritos nuevos llegaron al establo y mi padre necesita hacer el inventario. ¿Por qué tienes los documentos financieros de mi padre? ¿Por qué estás en la oficina de mi padre en un sábado?

– Estaba organizando la oficina y…

Bianca intentó agarrar los documentos, pero abruptamente, Salomé los dejó caer[1] al suelo. ¡Los dejó caer intencionalmente! Bianca miró a Salomé confundida.

– ¿Por qué dejaste caer los papeles?

– ¿Yo? Yo no los dejé caer –respondió Salomé con inocencia–. Tú los dejaste caer cuando intentaste agarrarlos.

– ¿Por qué quieres causarme problemas? ¡Quieres que mi padre se enoje! –respondió Bianca.

[1]dejó caer – dropped (let fall)

– ¿Qué pasa, cariño? –le preguntó Julián a Salomé, entrando en la oficina.

– No es nada, cariño. Bianca intentó agarrar unos documentos y los dejó caer al suelo…pero…fue un accidente. No te preocupes –le respondió Salomé.

Bianca estaba furiosa. Salomé quería que su padre se enojara con ella. Quería causarle problemas en su relación con su padre, pero ¿por qué? ¿Y por qué realmente tenía los papeles financieros de su padre? Bianca no comprendía las acciones de Salomé. «Ella no estaba organizando la oficina. Estaba buscando información financiera, pero ¿por qué?», pensó Bianca.

– ¿Qué pasa, Bianca?

– Los toritos…

Salomé la interrumpió y le respondió románticamente:

> – Cariño, Bianca te buscaba para decirte que los
> toritos ya llegaron. Vamos a hacer el inventa-
> rio.

Salomé le agarró la mano a su padre y los dos se fueron al establo. Bianca los miró y enojada, agarró los papeles para investigar la situación. Buscaba evidencia del
motivo de Salomé. Cuando no vio nada anormal, ella
fue a la cocina y se sentó en la mesa pensando en los
posibles motivos de Salomé. «¿Qué quería ella? No era
probable que buscara una relación romántica con su
padre. Ella solo tenía aproximadamente treinta años y
su padre ya tenía cuarenta y dos.

Una hora más tarde, su padre y Salomé entraron flirteando. Estaban muy contentos. Su padre miró a Bianca
y sonriendo, le dijo:

> – Bianca, Salomé y yo tenemos un anuncio muy
> importante... –Julián miró a Salomé románti-
> camente y continuó–, Salomé va a ser tu ma-
> drastra. ¡Va a ser mi esposa!
>
> – ¿Mi madrastra?– le preguntó Bianca confun-
> dida.
>
> – Oh sí, preciosa –le respondió Salomé con un

tono falso–. Voy a ser tu madrastra y voy a
vivir aquí en el rancho. Vamos a ser una familia.

Bianca no dijo nada. *«¿Su madrastra?»*, pensó con
náuseas.

– Bianca, ya tenemos mucho tiempo sufriendo
la muerte de tu madre –le dijo su padre.

– ¿Y ya no piensas en ella? ¿Ya no te importa?

– Sí, pienso en ella…La muerte de tu madre fue
horrible. Estuve muy, muy triste…estuve triste
por mucho tiempo. Pero la muerte de tu
madre es parte del pasado. Tengo que planear
para el futuro y Salomé es parte del futuro.
Ella quiere ser tu amiga. Quiere ayudarnos en
la casa. Quiere ser parte de la familia.

– Pero papá…– dijo Bianca confundida–. ¿No
piensas que es una decisión muy rápida?

– No, Bianca. No es una decisión rápida. Pasé
mucho tiempo pensándolo.

– ¿Y yo?... ¿Yo no necesito tiempo para pensarlo? –le respondió Bianca enojada.

– ¡Salomé va a ser una madrastra fabulosa!
Quiero que Salomé sea parte de esta familia.
Vas a estar muy contenta.

Julián miró a Bianca y a Salomé también y les dijo muy emocionado:

– Las quiero mucho.

Entonces se fue al establo para practicar con los toros. Cuando se fue, Salomé le agarró el brazo a Bianca y le dijo sarcásticamente:

– Mira Bianca, no me importa si te gusto o no. No vas a destruir mi relación con tu padre. Voy a ser su esposa y también voy a ser tu madrastra. Puedo ser una madrastra tolerable o una madrastra peligrosa. Si intentas destruir mi relación con tu padre, voy a hacerte sufrir.

Capítulo 5
Un plan mortal

Bianca estaba en el establo con Marcos, cuidando de Ferdinando, y Salomé la observaba en secreto. Bianca no tenía ni idea de que su nueva madrastra la estaba mirando.

– ¡Marcos, mira! –gritó Bianca corriendo con Ferdinando–. ¡Me imita!

Bianca se sentó y Ferdinando se sentó también. Ferdinando ya era un adulto pero no era un toro normal.

Continuaba actuando como una persona. Era un toro especial. Continuaba imitando a Marcos y a Bianca, y Salomé continuaba espiando[1] a Bianca.

Salomé quería que Ferdinando fuera[2] un toro bravo. Intentaba convencer al padre de Bianca que necesitaban convertir a Ferdinando en un toro bravo o en una gran hamburguesa. No quería un toro domesticado pero Ferdinando no cooperaba. Ferdinando no quería ser un toro bravo, quería ser un amigo. Era un amigo especial de Bianca y Marcos.

– Ferdinando te admira, Bianca. Eres su amiga –le comentó Marcos observándolos con admiración.

– Te admira a ti también –le dijo Bianca sonriendo–. Eres su amigo favorito.

– Sí, le gusto mucho. ¿Y a ti, te gusto también? –le preguntó Marcos flirteando.

– Me gustan los dos –le respondió Bianca sonriendo.

Hubo un momento de silencio y por fin, Marcos le confesó:

– Te admiro, Bianca. Eres atractiva, inteligente y

[1]espiando - spying
[2]quería que Ferdinando fuera - wanted Ferdinando to be

apasionada. Cuidas bien a los toros y todos
los toros te obedecen. Eres mágica.

– ¿Mágica? ¡No soy mágica! ¡Soy paciente!

– Obvio que eres paciente…vives con Salomé
sin matarla –le respondió Marcos–. Ja ja ja

– No quiero interrumpir este momento román-
tico –dijo Salomé con un tono sarcástico–,
pero no puedo tolerar más. *«Yo soy la persona
paciente…»* dijo Salomé imitando a Bianca
con sarcasmo.

Bianca se levantó rápidamente y la miró. *«¿Cómo era
posible que su padre no notara que su nueva esposa realmente era una persona horrible?»*. Salomé frecuentemente intentaba causar problemas entre Bianca y su
padre, y Bianca comprendía la situación perfectamente:

Salomé quería toda la atención de su padre y quería controlarlo también.

– ¿Qué quieres? ¿Por qué estás en el establo… con los empleados ordinarios? –le preguntó Bianca sarcásticamente.

– Tu padre quería que yo observara a los toros para hacer una recomendación para su corrida especial. Voy a recomendarle que Ferdinando vaya. También voy a recomendarle que Sábado vaya.

– Ferdinando NO va a la arena –le respondió Bianca furiosa–. No es un toro bravo. ¡Y Sábado!... ¡¿Estás loca?! No podemos controlar a Sábado. Es un toro peligroso. Marcos y yo recomendamos que Sábado no vaya a la corrida. ¡Recomendamos que lo eliminemos!

– Excelente recomendación… tu padre va a eliminarlo… ¡en la arena! –exclamó Salomé sonriendo y moviendo los brazos exageradamente–. ¡Va a ser la corrida más peligrosa del año! 'El Julí' versus un toro peligroso y descontrolado. Imagínense la publicidad. Imagínense la fama. ¡Imagínense el dinero!

– No me importa el dinero. Me importa mi

padre. Me importan los toros. Ferdinando no
es un toro apropiado para la corrida.

– No hay otra opción, Bianca. O Ferdinando va
a la arena o preparamos rosbif de toro –dijo
Salomé firmemente y entonces se fue muy
contenta.

– Marcos, ¿Qué voy a hacer? –exclamó Bianca
llorando–.

Marcos tomó a Bianca en sus brazos para consolarla,
pero Bianca estaba histérica. Continuaba hablando con

voz de pánico:

– Salomé quiere que Ferdinando vaya a la arena
y Ferdinando no puede. No es un toro bravo.
Y mi padre…–exclamó Bianca–. ¡Sábado es
muy peligroso! Es el toro más peligroso de
toda España. Mi padre no puede entrar en la
arena con un toro tan[3] peligroso.

Bianca se sentó en el suelo preocupada. Su madrastra le causaba muchos problemas y ahora quería causar problemas a Ferdinando y a su padre también. «¿Qué quiere Salomé?», pensó Bianca. «¿Publicidad? ¿Fama? ¿Dinero? ¿Realmente quiere a mi padre?»

– Tu padre es una persona honorable. Él te respeta y admira la relación que tienes con Ferdinando. Tu padre no va a permitir que
Ferdinando vaya a la arena. Salomé no va a
convencerlo. Tu padre es muy sensato[4]. No va
a entrar en la arena con Sábado.

Marcos se sentó con Bianca en el suelo y Ferdinando se sentó con ellos también. Los tres pasaron el resto del día nerviosos por lo que Salomé planeaba hacer.

[3]tan – so, very
[4]sensato – sensible

Capítulo 6
Una corrida peligrosa

Bianca se sentó con Salomé en la plaza de toros. Estaba nerviosa y preocupada. *«¿Cómo fue posible que Salomé pudiera convencerlo de entrar en la corrida con Sábado? ¿Qué pasó? ¿Cómo pudo manipularlo? Padre Santo, protege a mi padre»*, pensó Bianca preocupada. Salomé sonreía con satisfacción. En ese momento, una reportera se sentó en frente de Salomé y le preguntó:

– ¿Cómo decidió su esposo entrar en la corrida con el toro más peligroso de España?

Salomé sonrió y le respondió con arrogancia:

– Le dije a Julián que quería ser la esposa del torero más famoso y valiente de España y Julián aceptó.

Bianca la escuchó y se enojó. Quería hablar con la reportera también, pero en ese momento, la cuadrilla: los seis asistentes del torero, entró a la corrida. Todos miraron a la cuadrilla y cuando vieron a 'El Julí' entrar, gritaron y aplaudieron. Bianca gritó y aplaudió también,

pero Salomé no gritó. Ella aplaudió muy formalmente. 'El Julí' caminó por la arena sonriendo y cuando vio a Bianca y a Salomé, sonrió más. Estaba contento de ver a su familia.

La cuadrilla fue a sus posiciones para la corrida y todos los aficionados gritaron: «¡Julí! ¡Julí! ¡Julí!». Durante la primera parte de la corrida, Bianca observaba nerviosa a su padre. Ser torero era peligroso, pero estar en la arena con Sábado era más peligroso de lo normal. Su padre era un torero excelente pero ocurrían muchos accidentes en la arena…muchos accidentes con toreros débiles, sin experiencia, pero también con toreros excelentes, con muchísima experiencia.

Su padre observaba al toro mientras los picadores[1] lo atormentaban. Los picadores agitaban al toro y su padre evaluaba sus movimientos. Bianca miraba todo y observó que Sábado era muy grande. Era obvio que era un toro muy bravo, violento y descontrolado. ¡Era peligroso!

Bianca miró a su padre moviendo el capote. El movimiento llamó la atención del toro. Sábado observó el movimiento y corrió hacia el capote agresivamente. «¡Olé! ¡Olé!»,

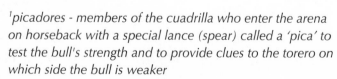

[1]*picadores - members of the cuadrilla who enter the arena on horseback with a special lance (spear) called a 'pica' to test the bull's strength and to provide clues to the torero on which side the bull is weaker*

30

gritaron los aficionados cuando el toro pasó. Bianca gritó «¡Olé!» también, pero estaba muy nerviosa.

El padre de Bianca salió de la arena. Él participó en la primera parte de la corrida pero no participó mucho en la segunda parte. Los banderilleros[2] entraron en la arena para dramatizar la corrida. La segunda parte de la corrida fue muy dramática y un poco triste; los banderilleros atormentaron al toro. Querían debilitar al toro para la parte final de la corrida. 'El Julí' también quería que lo debilitaran para hacer la parte final de la corrida: 'La parte de la muerte'. Quería que la muerte fuera la muerte del toro, no la muerte del torero…

Cuando los banderilleros salieron de la arena, Sábado estaba enojado y débil. No podía mover mucho la cabeza. Para 'La parte de la muerte', su padre necesitaba un toro muy enojado para hacer la corrida más dramática, pero también necesitaba un toro débil para reducir el peligro.

Bianca observó a su padre. 'El Julí' llegó al centro de la arena con su capote rojo para la parte final, la parte más peligrosa. Todos los aficionados gritaban y aplaudían. 'El Julí' era un torero extraordinario, pero

[2]banderilleros - members of the cuadrilla who enter the arena with 'banderillas', (small flags attached to darts) to anger and weaken the bull

Sábado era un toro muy bravo y ahora estaba muy, muy enojado. Bianca no quería ver la corrida. ¡Estaba muy, muy preocupada!

El Julí tenía el capote y el toro corrió hacia él. Todos los aficionados gritaron: «¡Olé!». «¡Olé!», gritó Salomé impresionada con la corrida y con la atención de los aficionados.

Salomé miraba la corrida con calma, sonriendo y aplaudiendo como una princesa. Ella observaba más a los aficionados y a los reporteros que la corrida peligrosa en la que participaba su esposo. A Salomé le gustaban la atención y los aplausos de los aficionados. A ella no le importaba la muerte del toro ni la muerte de su esposo.

Hubo una pausa en la corrida mientras 'El Julí' agarró su espada especial para matar a Sábado. Había silencio en la arena y todos miraban a 'El Julí'. Con movimientos muy dramáticos, 'El Julí' movió su capote y levantó su espada para matar al toro débil. El toro corrió hacia 'El Julí' y de repente, levantó la cabeza para atacarlo. Completamente sorprendido, 'El Julí' no reaccionó y el toro lo atacó violentamente. Los aficionados gritaron con horror y Bianca gritó con pánico: « ¡ N o o o o o o - ooo!».

El toro continuaba atacando a 'El Julí' violentamente. Los miembros de la cuadrilla corrieron hacia 'El Julí' para ayudarlo, pero el toro continuaba atacándolo. Cuando por fin llegaron, 'El Julí' estaba en

muy malas condiciones. Lo agarraron y lo transportaron a la clínica de la plaza. Bianca, completamente traumatizada, lloraba descontrolada y preocupados y tristes, los aficionados se sentaron en silencio pensando: *«¿'El Julí' está muerto?»*.

Capítulo 7
¿Separación permanente?

– Su esposo está muy grave, Señora Nieves. Está muy débil –le dijo el doctor a Salomé.

– ¿Cuánto tiempo necesita para recuperarse? ¿Cuándo va a poder entrar en la arena? –le preguntó Salomé impaciente.

El doctor miró a Salomé confundido y le respondió:

– Señora, no, Ud. no comprende la situación. Su esposo está en muy malas condiciones.

–¡Obvio! –exclamó Salomé irritada–. Pero ¿cuánto tiempo va a estar en el hospital?

El doctor miró a Salomé y a Bianca y entonces miró al suelo. Por fin, les habló con voz triste:

– Es probable que no vaya a salir del hospital… y que no vaya a recuperarse. En este momento, está al borde de la muerte.

– ¡Noooo! –dijo Bianca llorando descontroladamente.

– ¿Y está consciente? –le preguntó Salomé sin emoción.

– No, señora, no está consciente –le respondió el doctor–. Su condición es muy frágil.

– Gracias –le respondió Salomé y entonces salió para hablar con los reporteros.

Bianca miró a su madrastra y pensó: «¡¿Salomé prefiere hablar con los reporteros que ver a mi padre?!». Ella la observó hablando con los reporteros. Su madrastra no lloraba y no estaba triste. Era obvio que a Salomé le gustaba la atención de los reporteros. Cuando Salomé posó para una foto, Bianca no pudo tolerar más. Su padre estaba al borde de la muerte y su madrastra estaba posando para fotos. ¡Qué disgusto!

El doctor se levantó y se fue hacia la clínica. Bianca se levantó y corrió hacia el doctor:

> – Doctor – lo llamó Bianca con voz triste–, quiero ver a mi padre.

> – No puedes verlo ahora, Bianca. Vamos a transportarlo al hospital ahora.

En ese momento, llegó una ambulancia para transportar a 'El Julí' al hospital. Los reporteros corrieron hacia la ambulancia y Salomé también.

> – ¿Qué pasa? –exclamó Salomé enojada.

> – Van a transportar a mi padre al hospital –le

respondió Bianca llorando.

Salomé estaba enojada y fue a hablar con el doctor.

– Mi esposo está muy débil. ¿Por qué van a transportarlo al hospital?

– Señora, queremos salvar a su esposo. Son pocas las probabilidades de salvarlo si no lo transportamos al hospital.

Mientras Salomé hablaba con el doctor, los médicos pusieron a 'El Julí' en la ambulancia. Bianca le agarró la mano a su padre y le dijo:

– Papá, te quiero mucho. No me abandones.

Salomé la escuchó y se enojó:

– ¡Bianca! ¡Tu padre está muy débil! ¿Quieres causarle estrés? ¿Quieres matarlo? –Salomé le dijo cruelmente–. No le hables más.

– Mi padre me necesita. Necesita escuchar mi voz.

– Tu padre necesita silencio. Necesita tranquilidad.

– Quiero ir con mi padre al hospital.

– No. No lo permito. Solo una persona puede ir con tu padre y yo voy a ir con él.

Bianca miró al doctor y llorando, le dijo con voz débil:

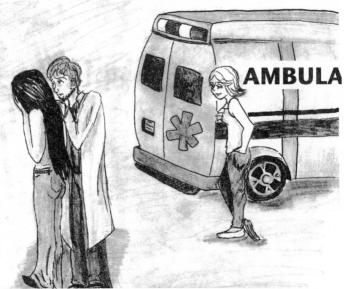

– Por favor, Doctor, quiero ir con mi padre.

– Desafortunadamente, solo una persona puede ir. Salomé es su esposa y la esposa del paciente tiene preferencia –le dijo el doctor con voz triste.

Sonriendo con satisfacción, Salomé se fue en la ambulancia con 'El Julí'.

Capítulo 8
Control total

Cuando anunciaron su muerte, todos los aficionados estaban tristes. Toda España lloró la muerte de 'El Julí'. Bianca lloró mucho también y Marcos intentó confortarla:

– Todos querían a tu padre, Bianca. Era un héroe español –le dijo el día del funeral–.

¡Mira! Hay muchas personas que quieren celebrar su vida.

Había una línea enorme de aficionados que querían
honrar a 'El Julí'. Todos querían llorar su muerte. Bianca
observaba a las personas y le dijo a Marcos con voz
triste:

– Todos querían a mi papá, pero en poco
tiempo, los aficionados van a buscar un torero
nuevo. En poco tiempo, ellos van a adorar a
otro torero, pero yo no… No puedo buscar un
padre nuevo. Mi padre está muerto y mi
madre también. Solo tengo una madrastra terrible.

– Y a mí –le respondió Marcos firmemente–. Me
tienes a mí también, Bianca.

Para Bianca, el funeral de su padre fue muy triste pero
la parte más triste fue llegar al rancho sin él. Sí, tenía a
Marcos pero también tenía que vivir sola con Salomé.
Solo tenía 17 años y no podía vivir sola. Salomé era más
cruel ahora que su padre estaba muerto. Fue una sorpresa enorme cuando fue revelado que Salomé no iba a
recibir ni un centavo de la fortuna. Se enojó muchísimo
cuando Bianca recibió todo, pero Salomé se calmó un
poco cuando fue revelado que ella, temporalmente,
controlaría toda la fortuna.

– Marcos, no puedo vivir otro día con Salomé.
Ella mató a mi padre cuando lo convenció de
entrar en la arena con Sábado. Quiere matarme a mí también.

– Cálmate, Bianca. Salomé quiere tu fortuna,
pero ¿realmente piensas que ella quiere matarte?

Bianca se enojó un poco y le respondió irritada:

– Marcos, tú no vives con Salomé. No la observas y no la comprendes. Ella es una persona
peligrosa. Ella no quería a mi padre, solo quería su fortuna.

– ¿Y piensas que Salomé es capaz de matar?

– ¡Obvio! Salomé ya mató. Mató a mi padre cuando lo convenció de entrar en la arena con Sábado.

– Si tú ya tienes la fortuna de tu padre, ¿por qué querría Salomé matarte?

– ¡Para robarme la fortuna! –le respondió Bianca frustrada.

En ese momento escucharon la voz de Salomé. Estaba en la parte del establo donde estaban los toros grandes. Bianca miró a Marcos con pánico y le preguntó preocupada:

– ¿Estaba escuchándonos?

– No, –le dijo Marcos con voz calmada.

Marcos miró a Bianca románticamente. Entonces la tomó en sus brazos y le dijo:

– Vamos a investigar.

Silenciosamente, Marcos y Bianca entraron en la parte del establo donde estaban los toros bravos. Vieron a Salomé con unos hombres. Los hombres tenían un tráiler.

– ¡Por aquí! –ordenó Salomé–. El toro grande está aquí.

«¡*Ferdinando!*», pensó Bianca. Miró a Marcos alarmada y le preguntó con pánico en la voz:

- ¿Qué vamos a hacer? Ella quiere que Ferdinando vaya a la plaza de toros. Ferdinando no puede ir.

- Bianca, no podemos hacer nada. Salomé tiene control del rancho. Ella tiene control del destino de Ferdinando también, – le respondió Marcos tristemente.

- Es horrible,–comentó Bianca–. Ella quiere matar a Ferdinando porque es mi amigo.

Quiere hacerme miserable.

Marcos no le dijo nada, simplemente la mantenía en sus brazos románticamente mientras observaban en silencio a los hombres. Forzaron a Ferdinando a entrar en el tráiler. Ferdinando se resistía, no quería entrar. Miraba a todas partes frenéticamente. «Muuuuuuuu» lloraba tristemente. Por fin, Ferdinando entró en el tráiler y uno de los hombres caminó hacia Salomé. Le tocó la mano románticamente y le dijo:

– Nos vemos en Madrid.

– Sí, nos vemos. –le respondió Salomé–. Adiós, Ferdinando –exclamó con un tono sarcástico.

En ese momento, Salomé vio a Bianca y a Marcos. Les sonrió cruelmente y le dijo a Bianca:

– Qué desafortunado que tu padre no entrara a la corrida con Ferdinando. Tú no querías que tu padre matara a Ferdinando y ahora tu padre está muerto. Tú eres responsable de la muerte de tu padre. Ahora tu padre no puede salvar a Ferdinando. Tu padre no puede salvarte a ti tampoco.

Los hombres se fueron con Ferdinando y Salomé se fue para la casa. Bianca se sentó en el suelo llorando descontrolada.

Capítulo 9
Sin tiempo, sin plan

El día de la corrida, era obvio que Ferdinando estaba nervioso. Marcos lo observaba y quería calmarlo. Le tocaba la cabeza y le hablaba: *«Cálmate Ferd. Todo va a estar bien. Bianca va a llegar en unos minutos»*.

Ferdinando se calmó un poco, pero los otros toros– los toros bravos–estaban furiosos. No querían entrar en las casillas[1] nuevas y se resistían cuando Marcos los for-

[1] *casillas - stalls, livestock boxes, stables*

zaba a entrar a las casillas. Ferdinando se resistió también pero no se resistió porque estuviera furioso, se resistió porque ¡estaba nervioso! Marcos continuaba hablándole calmadamente y tocándole la cabeza: *«Vas a estar bien, Ferdinando. Estoy aquí»*.

Marcos realmente estaba nervioso porque no tenía ni idea de cómo iba a salvar a Ferdinando. «¿Dónde está Bianca» pensó preocupado. La necesito y ¡Ferdinando la necesita también!

****

Bianca estaba confundida. «¿Qué pasó?» se preguntó. ¿Por qué estoy durmiendo en la cocina[2]? «¿Qué hora es? ¿Qué día es?». Intentaba pensar claramente pero le era difícil. Estaba muy confundida.

[2]*durmiendo en la cocina - sleeping in the kitchen*

Bianca se levantó y buscó a Salomé, pero no estaba. Buscó por toda la casa, llamándola *«Salomé, Saaaalo-mééé»*, pero Salomé no le respondía. En ese instante, Bianca comprendió todo. Se tocó la cabeza y murmuró: *«¡Ferdinando! ¡La corrida! Salomé salió para la corrida sola…Va a matar a Ferdinando. ¡Necesito ir a la corrida inmediatamente!»*.

Bianca intentó correr hacia el establo, pero tuvo una sensación rara. *« ¿Qué me está pasando?»*, se preguntó confundida. De repente, no pudo ver ni pudo correr más y cayó al suelo inconsciente.

****

Marcos tenía a todos los toros en sus casillas. Le hablaba a Ferdinando, tratando de calmarlo. En ese momento, escuchó la voz de Salomé:

> – Quiero que muera primero el más grande, el
> que se llama "Ferdinando" –le dijo con un
> tono sarcástico.

Marcos notó que Salomé hablaba con el hombre que había transportado a Ferdinando a Madrid.

> – Salomé –le dijo el hombre–, normalmente el
> toro más grande participa en la corrida final,
> no en la primera con un torero inexperto. ¿No
> quieres que el torero más famoso mate al toro

más grande?

– No me importa lo "normal," ese toro me causa muchos problemas y quiero que partícipe en la primera corrida. Cuando el toro esté muerto, podemos finalizar los planes financieros y salir para Francia.

Marcos estaba alarmado. ¿La primera corrida? ¿Francia? Ahora comprendía el plan de Salomé. Salomé realmente quería robarle el dinero a Bianca. ¡Y quería que Bianca se sintiera miserable…o más horrible, quería que Bianca estuviera muerta! ¡Realmente era una persona peligrosa! *«¡Bianca!»*, pensó Marcos con pánico. *«¿Dónde estás? ¿Es posible que Salomé ya la haya matado?»*.

De repente, un toro bravo se movió violentamente en la casilla y esto causó que todos los toros se enojaran y movieran mucho. Era una situación peligrosa. Muchos toros enojados podían causar una estampida. Marcos escuchó a Ferdinando: *«¡Muuuuuuuuu!»* y pensó: *«¿Tengo tiempo para salvarte? ¿Tengo tiempo para salvar a Bianca también?»*.

Capítulo 10
Los pañuelos[1]

«*Presentando al primer torero en su primera corrida…*
'El Gaaa-lle-goooo'», dijo el anunciador dramáticamente. «El Gallego está acompañado por su cuadrilla»,
continuaba. «*Y entrando en la arena, el toro feroz,*
¡FERRRR-DII-NAANDOOOO!».

Los aficionados se levantaron y le gritaron al torero
inexperto: «*¡Viva El Gallego!*». Fue un grito entusiasta y
al escucharlo, el torero inexperto se movió hacia Ferdinando con un estilo muy dramático, muy motivado a

[1]*pañuelos - handkerchiefs*

matarlo. Marcos lo observó horrorizado. ¡Este torero inexperto iba a matar a Ferdinando! Y lo iba a hacer muy rápido, sin la paciencia que tiene un torero con experiencia. Marcos estaba paralizado de horror...¡¿Qué iba a hacer para salvar a Ferdinando?!

****

Bianca se tocó la cabeza e intentó levantarse del suelo, pero estaba muy débil. *«¿Qué me pasó?»*, pensó confundida. Se levantó con mucha dificultad y escuchó el silencio. No había nadie en el rancho y no había ni un toro en el establo. *«¿Qué está pasando?»*, se preguntó Bianca. Observó la situación y por fin, comprendió. Furiosa gritó: *«¡Salomééééé!»*.

En ese instante, pensó en Ferdinando en la arena y

desesperadamente, corrió hacia un carro pasando frente a la casa. Gritó frenéticamente: *«¡Ayúdenme! ¡Ayúdenme, por favor!»*.

****

El torero movió su capote, pero Ferdinando no se movió. ¡Estaba paralizado de terror! De repente, los picadores y los banderilleros entraron en la arena para atormentar a Ferdinando y los aficionados se levantaron y gritaron entusiasmados. Intentaban atormentar a Ferdinando para hacerlo débil y enojado, pero Ferdinando no era un toro bravo. Al contrario era un toro cobarde.

Marcos observó a los picadores y banderilleros y

pensó: «*¿No pueden ver que Ferdinando no es un toro ordinario? ¿No pueden ver que es excepcional?*». Ferdinando continuaba corriendo de los picadores y los banderilleros, los aficionados, impacientes, gritaban: «*Buuuuuu. ¡Mátalo, mátalo!*». Por fin, los picadores y los banderilleros salieron de la arena y contentos, los aficionados aplaudieron. Escucharon la música que indicaba que La Parte de la Muerte ya llegaba y gritaron entusiasmados. Marcos observaba todo y horrorizado, pensó: «*¿Qué voy a hacer?*».

En este momento, un carro llegó rápidamente a la arena. Al llegar, Bianca escuchó la música de *La parte de la muerte* y aterrorizada, corrió hacia la arena. Entró en la arena donde estaban los toros y en ese instante, unas manos la agarraron violentamente. Las manos estaban estrangulándola.

¡Bianca no podía respirar, no podía gritar! Se movió frenéticamente para escaparse de las manos y por fin, vio a…¡Salomé!

Marcos miró al torero entrar en la arena y se concentró en un plan para salvar a Ferdinando. Estaba a punto de entrar en la arena cuando escuchó una conmoción. Vio a Salomé estrangulando a Bianca y corrió hacia ella. Era una situación imposible. ¡En este momento peligroso, no pudo salvar a Bianca y a Ferdinando! Tenía que tomar una decisión rápida; no había otra opción… ¡Tenía que salvar a Bianca!

Determinado a salvarla, Marcos corrió lo más rápido posible hacia Salomé y la agarró furioso. En ese instante, Bianca se escapó de sus manos y fue corriendo a salvar a Ferdinando. Salomé la miró y gritó: *«¡No! ¡No! ¡Ayúdenme!»*. De repente, unos policías llegaron y agarraron a Marcos.

«*Yo no soy el criminal. ¡La criminal es Salomé, la madrastra villana de Bianca Nieves! Ella planeó la muerte de 'El Julí' e intenta robar su fortuna. Tiene planes de salir a Francia con su fortuna, con la fortuna de su hija, Bianca*».

Marcos estaba explicando la situación cuando vio a Bianca en el centro de la arena. Bianca corría hacia Ferdinando y al verla, Ferdinando corrió hacia ella. Los aficionados gritaron con horror. ¡El toro iba a atacar a la chica! ¡La iba a matar!

El torero tenía su espada en la mano y corrió hacia Bianca para ayudarla y sin pensar en el peligro, Bianca

se movió en frente del torero para bloquear su espada. Ferdinando reaccionó con rapidez, moviendo a Bianca con su cabeza protegiéndola valientemente. El torero, confundido, levantó su espada para matar al toro. Bianca levantó la cabeza, moviéndola como un toro y corriendo lo más rápido posible: *«¡Corre Ferdinando! ¡Corre!»*. En ese instante, Ferdinando imitó a Bianca. Movió la cabeza y corrió hacia ella. Bianca corrió en círculos y Ferdinando corrió en círculos también. Bianca se sentó en el suelo y Ferdinando se sentó también. Los aficionados estaban impresionados y gritaban: *«¡Olé, olé!»*.

De repente, Marcos entró en la arena con un pañuelo blanco en el aire, gritando: «*¡Viva Ferdinando! ¡Viva la hija de 'El Julí'!*». Todos lo miraron y sorprendidos gritaron también: «*¡Viva Ferdinando! ¡Viva la hija de 'El Julí'!*». «*¡Es increíble*», gritó el anunciador en el micrófono. «*¡Viva la hija de 'El Julí'! ¡Viva Ferdinando!*».

Todos los aficionados gritaban y aplaudían. Un fanático tenía un pañuelo blanco y lo movía en el aire. Poco a poco, todos los aficionados tenían pañuelos blancos y los movían en el aire. Bianca miró los pañuelos y sonrió. Agarró a Ferdinando y lo besó[2].

---

[2]lo besó - kissed him

– ¡Eres increíble! –le gritó Marcos a Bianca–. ¡Salvaste a Ferdinando!

– ¡Falso! –le respondió Bianca sonriendo–. Nosotros salvamos a Ferdi.

Emocionada, Bianca gritó: *«¡Viva Ferdinando!»*. Entonces, agarró a Marcos y lo besó y los aficionados aplaudieron con mucho entusiasmo.

Glosario

A

a - to

(que) abandones - (that) you abandon

abanico - hand-held fan

abrazó - s/he hugged

abruptamente - abruptly

accidente - accident

acciones - actions

aceptó - s/he accepted

acompañado - accompanied

actores - actors

actúa - s/he acts

actuando - acting

adiós - goodbye

admira - s/he admires

admiraba - s/he used to admire; s/he was admiring

admiración - admiration

admiro - I admire

adorables - adorable

adorar - to adore

adulto - adult

aficionados - fans

agarrar - to grab

agarrarlos - to grab them

agarraron - they grabbed

agarró - s/he grabbed

agitada - agitated

agresivo - aggressive

ahora - now

ahorita - right now

aire - air

al - to the

alarmado - alarmed

ambulancia - ambulance

amigo - friend

animales - animals

año - year

anormal - abnormal

anunciador - announcer

anunciaron - they announced

anuncio - announcement

apasionada - passionate

aplaudían - they applauded

aplaudiendo - applauding

aplaudieron - they applauded

aplaudió - s/he applauded

aplausos - applause

apropiado - appropriate

aproximadamente - approximately

aquí - here

arena - arena

arrogancia - arrogance

asistentes - assistants

atacando - attacking

atacándolo - attacking it/him

atacar - to attack

atacarlo - to attack it/him

atacó - s/he, it attacked

atención - attention

aterrorizada - terrified

atormentar - to torment

atormentaron - they tormented

atractiva - attractive

ayuda - help

ayudarla - to help her

ayudarlo - to help him

ayudarnos - to help us

ayúdenme - help me

B

banderilleros - members of bullfighter's entourage who use darts with small flags (banderas) to weaken the bull

besó - s/he kissed

bien - well

blanco - white

bloquear - to block

(al) borde - on the edge

(toro) bravo - brave bull

brazo - arm

busca - s/he looks for

buscaba - s/he was looking for; I was looking for

buscando - looking for

buscar - to look for

(que) buscara - (that) s/he look for

buscas - you look for

busco - I look for

buscó - s/he looked for

C

cabeza - head

(dejar) caer - to drop (let fall)

calma - calm

calmada - calm

calmadamente - calmly

calmarlo - to calm him

cálmate - calm down

calmó - s/he calmed

caminó - s/he walked

Glosario

capaz - capable

capote - cape

capturarlo - to capture it (him)

cariño - darling

carro - car

casa - house

casilla - stall, pen (in a stable)

causa - s/he causes, it causes

causaba - s/he, it caused; s/he, it was causing

causar - to cause

causarle - to cause him/her

causarme - to cause me

causó - s/he caused, it caused

cayó - s/he fell

celebrar - to celebrate

centavo - cent

centro - center

chal - shawl

chica - girl

círculos - circles

claramente - clearly

clínica - clinic

cobarde - coward

cocina - kitchen

comentó - s/he commented

cómo - how

como - like, as

compasión - compassion

completamente - completely

comprende - s/he understands, comprehends

comprendes - you understand, you comprehend

comprendía - s/he understood, comprehended; s/he was understanding

comprendió - s/he understood, comprehended

con - with

concentró - s/he concentrated

condición - condition

confesó - s/he confessed

confortarla - to comfort her

confundido - confused

(se) confundió - s/he was confused, got confused

conmoción - commotion

consciente - conscious

contento - happy, content

continúa - s/he continues

continuaba - s/he continued; s/he was continuing

continuó - s/he continued

(al) contrario - on the contrary

control - control

controlar - to control

controlaría - s/he, I would control

controlarlo - to control it

convencer - to convince

convencerlo - to convince him

convenció - s/he convinced

conversación - conversation

convertir - to convert

cooperaba - s/he cooperated

copia - s/he copies

corral - corral

corre - s/he runs

correr - to run

corría - s/he was running, I was running

corrida - bull fight

corriendo - running

corrieron - they ran

corrió - s/he ran

costos - costs

criminal - criminal

cruel - cruel

cruelmente - cruelly

cuadrilla - entourage, bull-fighter's team

cuando - when

cuánto - how much

cuarenta - forty

cuidaba - s/he took care of, I took care of

cuidaban - they took care of

cuidando - taking care of

cuidándolo - taking care of it/him

cuidar - to take care of

cuidarlo - to take care of it/him

cuidarlos - to take care of them

cuidas - you take care of

D

de - of; from

débil - weak

debilitar - to weaken

(que) debilitaran - (that) they weaken

decidió - s/he decided

decir - to say

decirte - to say to you

decisión - decision

dejaste caer - you dropped (let fall)

dejé caer - I dropped (let fall)

dejó caer - s/he dropped (let fall)

Glosario

del - from the, of the

desafortunadamente - unfortunately

desafortunado - unfortunate

descontroladamente - uncontrollably

descontrolado - uncontrollable

desesperadamente - desperately

destino - destiny

destruir - to destroy

determinado - determined

día - day

dice - s/he says

difícil - difficult

dificultad - difficulty

dije - I said

dijo - s/he said

dinero - money

Dios - God

disgusto - disgust

doctor - doctor

documentos - documents

domesticado - domesticated

dónde - where

dramática - dramatic

dramáticamente - dramatically

dramatizar - dramatize

durante - during

durmiendo - sleeping

E

e - and

él - he

el - the

elegante - elegant

eliminarlo - to eliminate him

(que) eliminemos - (that) we eliminate

ella - she

ellos - they

emoción - emotion

emocionada - excited

empleada - employee

en - in

enojado - mad

(que se) enojara - (that) s/he get mad

(que se) enoje - (that) s/he get mad

(se) enojó - s/he got mad

enorme - enormous

entonces - then

entrando - entering

entrar - to enter

(que) entrara - (that) s/he enter

entraron - they entered

entre - between
entró - s/he entered
entusiasmados - enthusiastic
entusiasmo - enthusiasm
entusiasta - enthusiast
era - s/he was, I was
eran - they were
eres - you are
es - it is, s/he is
escaparse - to escape
escapó - s/he escaped
escuchándonos - listening to us
escuchar - to listen to
escucharlo - to listen to it/him
escucharon - they listened to
escuchó - s/he listened to
ese - that
espada - sword
español - Spanish
especial - special
especialmente - especially
espiando - spying
esposo - husband, spouse
está - s/he is; it is
estaba - s/he was, I was
estaban - they were
establero - stable boy
establo - stable

estampida - stampede
están - they are
estar - to be
estás - you are
(que) esté - that s/he be
estilo - style
esta - this
esto - this
estoy - I am
estrangulando - strangling
estrangulándola - strangling her
estrés - stress
estresado - stressed
estuve - I was
(que) estuviera - (that) s/he was, (that) I was
(que) estuvieran - (that) they were
evaluaba - s/he was evaluating
evidencia - evidence
exageradamente - exaggeratedly
excelente - excellent
excepcional - exceptional
exclamó - s/he exclaimed
experiencia - experience
experto - expert
explicando - explaining

Glosario

expresión - expression
extraordinario - extraordinary

F

fabulosa - fabulous
falso - false
fama - fame
familia - family
famoso - famous
fanático - fan
fantástico - fantastic
(por) favor - please
favorito - favorite
fenomenal - phenomenal
feroz - ferocious
fiel - faithful
(por) fin - finally
final - final
finalizar - finalize
financieros - financial
finas - fine
firmemente - firmly
flirteaba - s/he was flirting
flirteando - flirting
formalmente - formally
fortuna - fortune
forzaba - s/he, I forced; s/he, i
    was forcing
forzaron - they forced

foto - photo
fotógrafos - photographs
frágil - fragile
frecuentemente - frequently
frenéticamente - frantically
frenéticos - frantic
(en) frente - (in) front
frustrada - frustrated
fue - s/he, it was; s/he, it went
(que) fuera - (that) s/he go,
    (that) it be
fueron - they were
funeral - funeral
furioso - furious
futuro - future

G

gracias - thank you
gran - great
grande - big
grave - serious
gritaban - they were yelling
gritando - yelling
gritar - to yell
gritaron - they yelled
grito - I yell
gritó - s/he yelled
(le) gusta - it pleases him/her,
    s/he likes it

(le) gustaba - it pleased him/her, s/he liked it

(le) gustaban - they pleased him/her, s/he liked them

(le) gustan - it pleases them, s/he likes them

(te) gusto - do I please you, do you like me

(le) gustó - it pleased him/her, s/he liked it

H

había - there was, there were

hablaba - s/he, I was talking

hablando - talking

hablándole - talking to him/her

hablar - to talk

(que) hables - that you talk

habló - s/he talked

hacer - to make, to do

hacerlo - to do it; to make it

hacerme - to make me

hacerte - to make you

hacia - toward

hamburguesa - hamburger

hay - there is, there are

(que) haya - (that) there be

héroe - hero

hija - daughter

historia - history

hombre - man

honor - honor

honorable - honorable

honrar - to honor

honrarla - to honor her

hora - hour; time

horrible - horrible

horror - horror

horrorizado - horrified

hospital - hospital

hubo - there was, there were

I

iba - s/he, I was going

idea - idea

imagínense - imagine

imita - s/he imitates

imitaba - s/he was imitating

imitando - imitating

imitó - s/he imitated

impaciente - impatient

(te) importa - do you care about it

importante - important

(le) importaba - s/he cared; it was important to him/her

(me) importan - I care about them; they are important to me

imposible - impossible

impresionado - impressed

impresionar - to impress

inconsciente - unconscious

increíble - incredible

indicaba - s/he, I indicated; s/he, I was indicating

inepta - inept

inexperto - novice, non-expert

información - information

inmediatamente - immediately

inocencia - innocence

inocente - innocent

instante - instant

inteligente - intelligent

intenta - s/he tries

intentaba - s/he was trying

intentaban - they were trying

intentas - you try

intentaste - you tried

intentó - s/he tried

interés - interest

interrumpió - interrupted

interrumpir - to interrupt

inventario - inventory

investigar - to investigate

invitada - invited

invitó - s/he invited

ir - to go

irnos - to go (all of us)

irritado - irritated

irse - to go away

L

(se) levantaron - they got up

(se) levantó - s/he got up

levantarse - to get up

línea - line

llama - s/he calls

llamaba - s/he, I was calling

llamándola - calling her

llamar - to call

llamarlo - to call him

llamó - s/he called

llegaba - s/he, I arrived, was arriving

llegaban - they arrived

llegando - arriving

llegar - to arrive

llegaron - they arrived

llegó - s/he arrived

lloraba - s/he was crying

llorando - crying

llorar - to cry
lloró - s/he cried
loca - crazy

M

madrastra - step- mother
madre - mother
mágica - magic
malas - bad
mamá - mom
manipularlo - to manipulate
    him
mano - hand
mantenía - s/he maintained
más - more
matado - killed
matador - bullfighter
mátalo - kill it/him
matar - to kill
(que) matara - (that) he kill
matarla - to kill her
matarlo - to kill him (it)
matarme - to kill me
matarte - to kill you
(que) mate - (that) s/he kill
mató - s/he killed
médicos - medics; doctors
mesa - table
micrófono - microphone

miembros - members
mientras - while
mínimo - minimum
minutos - minutes
mío - mine
mira - s/he looks at
miraba - s/he was looking at
miraban - they were looking at
mirando - looking at
miraron - they looked at
miró - s/he looked at
miserable - miserable
momento - moment
motivado - motivated
motivo - motive
mover - to move
movía - s/he moved
movían - they moved
moviendo - moving
moviéndola - moving her/it
(que) movieran - (that) they
    move
movimiento - movement
movió - s/he moved
muchísimo - very much
mucho - a lot
(que) muera - (that) s/he die
muerte - death
muerto - dead

mujer - woman
murmuró - s/he murmured
música - music
muy - very

N

nada - nothing
nadie - no one
náuseas - nausea
necesario - necessary
necesita - s/he needs
necesitaba - s/he needed
necesitaban - they needed
necesitamos - we need
necesitas - you need
necesito - I need
nervioso - nervous
ni - nor
nombre - name
normal - normal
normalmente - normally
nos - us
nosotros - we
(que) notara - (that) s/he notice
notó - s/he noticed, s/he noted
nuevo - new

O

o - or

obedecen - they obey
observaba - s/he, I observed;
    s/he, I was observing
observaban - they observed
obsérvalo - observe him
observándola - observing her
observándolos - observing
    them
(que) observara - (that) s/he
    observe
observas - you observe
observó - s/he observed
obvio - obvious
ocurrían - they occurred
ocurrió - it occurred
oficina - office
olé - shout of appreciation
    common at bullfights
opción - option
ordenó - s/he ordered
ordinario - ordinary
organizando - organizing
otro - other

P

paciencia - patience
paciente - patient
padre - father
pánico - panic

pañuelo - handkerchief

papá - dad

papeles - papers

para - for

paralizado - paralyzed

parte - part

participa - s/he participates

participaba - s/he, I used to participate; s/he, I was participating

participar - to participate

participaría - I would participate

(que) participe - (that) s/he participate

participó - s/he participated

particular - particular

pasa - s/he spends, passes

(qué) pasa - (what's) happening

pasado - past

pasando - passing

pasaron - they passed

pasé - I spent

pasó - s/he, it passed

(qué) pasó - (what) happened

patio - patio

pausa - pause

peligro - danger

peligroso - dangerous

pensando - thinking

pensándolo - thinking about it

pensar - to think

pensarlo - to think about it

pensó - s/he thought

pequeños - small

perfectamente - perfectly

perfecto - perfect

permitir - to permit

permito - I permit

pero - but

persona - person

picadores - members of the bullfighter's entourage, who enter the arena on horseback

piensas - you think

pienso - I think

plan - plan

planeaba - s/he was planning

planear - to plan

planeó - s/he planned

plaza de toros - a bull ring

(un) poco - (a) little

podemos - we can

poder - to be able to

podía - s/he, I could

podían - they could

policías - police officers

por - for; by; through

porque - because

posando - posing

posible - possible

posiciones - positions

posó - s/he posed

practicar - to practice

preciosa - precious

preferencia - preference

prefiere - s/he prefers

preguntó - s/he asked

(se) preguntó - s/he asked her/himself, wondered

preocupado - worried, preoccupied

(no te) preocupes - (don't) worry

preparamos - we prepare

presentando - presenting

primero - first

princesa - princess

principal - principal

probabilidad - probability

probable - probable

problema - problem

profesional - professional

protege - s/he protects

protegiéndola - protecting her

publicidad - publicity

(que) pudiera - (that) s/he could

pudo - s/he could

puede - s/he can

pueden - they can

puedes - you can

puedo - I can

punto - point

pusieron - they put

Q

que - that

qué - what

queremos - we want

quería - s/he wanted, s/he loved

querían - they wanted, they loved

querías - you wanted, you loved

(por qué) querría - (why) would s/he want

quién - who

quiere - s/he wants

quieren - they want

quieres - you want

quiero - I want

R

rancho - ranch

rápida - fast, rapid

rápidamente - quickly, rapidly

rapidez - speed

raro - rare; strange

reaccionó - s/he reacted

real - real

realmente - really

recibió - s/he received

recibir - to receive

recomendación - recommendation

recomendamos - we recommend

recomendarle - to recommend to him/her

recordar - to remember

recuperarse - to recuperate, to recover

reducir - to reduce

relación - relationship

(de) repente - suddenly

reportero - reporter

representarlo - to represent him

resistía - s/he was resisting

resistían - they resisted

resistió - s/he resisted

respeta - s/he respects

respirar - to breathe

respondía - s/he responded

respondió - s/he responded

responsabilidad - responsibility

responsable - responsible

resto - rest

revelado - revealed

robar - to steal, to rob

robarle - to rob him/her

robarme - to rob me

robó - s/he stole, robbed

rojo - red

romance - romance

romántica - romantic

románticamente - romantically

rosbif - roast beef

S

salieron - they left

salió - s/he left

salir - to leave

salvamos - we save

salvar - to save

salvarla - to save her

salvarte - to save you

salvaste - you saved

sarcasmo - sarcasm

sarcásticamente - sarcastically

sarcástico - sarcastic

satisfacción - satisfaction

(que) sea - (that) s/he, it be

secretaria - secretary

secreto - secret

segunda - second

seleccionaron - they selected

sensación - sensation

sensato - sensible

(se) sentaba - s/he was sitting

(se) sentaron - they sat

(se) sentó - s/he sat down

ser - to be

serio - serious

si - if

sí - yes

(ha) sido - (has) been

silencio - silence

silenciosamente - silently

simplemente - simply

sin - without

(que se) sintiera - (that) s/he
  feel

situación - situation

situado - situated

sofá - sofa

solo - alone; only

son - they are

sonreía - s/he was smiling

sonriendo - smiling

sonrió - s/he smiled

sorprendido - surprised

sorpresa - surprise

soy - I am

su - his; her

suelo - floor

sufriendo - suffering

sufrir - to suffer

T

talentosa - talented

también - too, also

tampoco - either

tan - so

tarde - late

temporalmente - temporarily

tenemos - we have

tener - to have

tengo - I have

tenía - s/he, I had

tenían - they had

terrible - terrible

tiempo - time

tiene - s/he has

tienes - you have

tocaba - s/he was touching
tocándole - touching him
tocó - s/he touched
todo - all, everything
tolerable - tolerable
tolerar - to tolerate
tomar - to take
tomó - s/he took
tono - tone
torero - bullfighter
torito - little bull
tormenta - torment
toro - bull
total - total
tradición - tradition
tragedia - tragedy
tráiler - trailer
tranquilidad - tranquility
transportado - transported
transportar - to transport
transportarlo - to transport it
transportaron - they transported
tratando - trying
traumatizada - traumatized
treinta - thirty
triste - sad
tristemente - sadly
tu - you

tú - you
tuvieron - they had
tuvo - s/he had

U

Ud. - you
una - one, an
uno - one
usan - they use

V

va - s/he goes
valiente - valiant, brave
valientemente - valiantly, bravely
Vámonos! - Let's go!
vamos - we go
van - they go
vas - you go
(que) vaya - (that) s/he, I go
(nos) vemos - we'll see each other; see you later
veo - I see
ver - to see
verla - to see her
verlo - to see him
versus - versus
ves - you see
vete - go away; leave

Glosario

(otra) vez - again

vi - I saw

vida - life

vieron - they saw

villana - villain

vio - s/he saw

violentamente - violently

violento - violent

(que) viva - (that) s/he live

vives - you live

vivía - s/he, I lived; s/he, I was
     living

vivir - to live

voy - I go

voz - voice

Y

y - and

ya - already

yo - I